La Esmer

Victor Hugo

Alpha Editions

This edition published in 2023

ISBN : 9789357957625

Design and Setting By
Alpha Editions
www.alphaedis.com
Email - info@alphaedis.com

Contents

LA ESMERALDA

LIBRETTO

Si par hasard quelqu'un se souvenait d'un roman en écoutant un opéra, l'auteur croit devoir prévenir le public que pour faire entrer dans la perspective particulière d'une scène lyrique quelque chose du drame qui sert de base au livre intitulé *Notre-Dame de Paris*, il a fallu en modifier diversement tantôt l'action, tantôt les caractères. Le caractère de Phoebus de Châteaupers, par exemple, est un de ceux qui ont dû être altérés; un autre dénouement a été nécessaire, etc. Au reste, quoique, même en écrivant cet opuscule, l'auteur se soit écarté le moins possible, et seulement quand la musique l'a exigé, de certaines conditions consciencieuses indispensables, selon lui, à toute oeuvre, petite ou grande, il n'entend offrir ici aux lecteurs, ou pour mieux dire aux auditeurs, qu'un canevas d'opéra plus ou moins bien disposé pour que l'oeuvre musicale s'y superpose heureusement, qu'un *libretto* pur et simple dont la publication s'explique par un usage impérieux. Il ne peut voir dans ceci qu'une trame telle quelle qui ne demande pas mieux que de se dérober sous cette riche et éblouissante broderie qu'on appelle la musique.

L'auteur suppose donc, si par aventure on s'occupe de ce libretto, qu'un opuscule aussi spécial ne saurait en aucun cas être jugé en lui-même et abstraction faite des nécessités musicales que le poëte a dû subir, et qui, à l'Opéra, ont toujours droit de prévaloir. Du reste, il prie instamment le lecteur de ne voir dans les lignes qu'il écrit ici que ce qu'elles contiennent, c'est-à-dire sa pensée personnelle sur ce libretto en particulier, et non un dédain injuste et de mauvais goût pour cette espèce de poëmes en général et pour l'établissement magnifique où ils sont représentés. Lui qui n'est rien, il rappellerait au besoin à ceux qui sont le plus haut placés que nul n'a droit de dédaigner, fût-ce au point de vue littéraire, une scène comme celle-ci. A ne compter même que les poëtes, ce royal théâtre a reçu dans l'occasion d'illustres visites, ne l'oublions pas. En 1671, on représenta avec toute la pompe de la scène lyrique une tragédie-ballet intitulée; *Psyché*. Le libretto de cet opéra avait deux auteurs: l'un s'appelait Poquelin de Molière, l'autre Pierre Corneille.

14 novembre 1836.

ACTE PREMIER

[La Cour des miracles.—Il est nuit. Foule de truands. Danses et bruyantes. Mendiant et mendiantes dans leurs diverses attitudes de métier. Le roi de Thune sur son tonneau. Feux, torches, flambeaux. Cercle de hideuses maisons dans l'ombre.]

SCENE PREMIERE.

CLAUDE FROLLO, CLOPIN TROUILLEFOU
[puis] LA ESMERALDA,
[puis] QUASIMODO,—LES TRUANDS.

CHOEUR DES TRUANDS.

Vive Clopin, roi de Thune!
Vivent les gueux de Paris!
Faisons nos coups à la brune,
Heure où tous les chats sont gris.
Dansons! narguons pape et bulle,
Et raillons-nous dans nos peaux,
Qu'avril mouille ou que juin brûle
La plume de nos chapeaux!
Sachons flairer dans l'espace
L'estoc de l'archer vengeur,
Ou le sac d'argent qui passe
Sur le dos du voyageur!
Nous irons au clair de lune
Danser avec les esprits…—Vive
Clopin, roi de Thune!
Vivent les gueux de Paris!

CLAUDE FROLLO, [à part, derrière un pilier, dans un coin du théâtre. Il est enveloppé d'un grand manteau qui cache son habit de prêtre.

Au milieu de la ronde infâme,
Qu'importe le soupir d'une âme?
Je souffre! oh! jamais plus de flamme
Au sein d'un volcan ne gronda.

[Entre la Esmeralda en dansant.]

CHOEUR.

La voilà! la voilà! c'est elle! Esmeralda!

CLAUDE FROLLO, [à part.]

C'est elle! oh! oui, c'est elle!
Pourquoi, sort rigoureux,
L'as-tu faite si belle,
Et moi si malheureux?

[Elle arrive au milieu du théâtre. Les truands font cercle
avec admiration autour d'elle. Elle danse.]

LA ESMERALDA.

Je suis l'orpheline,
Fille des douleurs,
Qui sur vous s'incline
En jetant des fleurs;
Mon joyeux délire
Bien souvent soupire;
Je montre un sourire,
Je cache des pleurs.

Je danse, humble fille,
Au bord du ruisseau,
Ma chanson babille
Comme un jeune oiseau;
Je suis la colombe
Qu'on blesse et qui tombe.
La nuit de la tombe
Couvre mon berceau.

CHOEUR.

Danse, jeune fille!
Tu nous rends plus doux.
Prends-nous pour famille,
Et joue avec nous,
Comme l'hirondelle
A la mer se mêle,
Agaçant de l'aile
Le flot en courroux.

C'est la jeune fille,
L'enfant du malheur!
Quand son regard brille,
Adieu la douleur!
Son chant nous rassemble;
De loin elle semble
L'abeille qui tremble
Au bout d'une fleur.

> Danse, jeune fille,
> Tu nous rends plus doux.
> Prends-nous pour famille,
> Et joue avec nous!

CLAUDE FROLLO, [à part.]

> Frémis, jeune fille;
> Le prêtre est jaloux!

[Claude veut se rapprocher de la Esmeralda, qui se détourne de lui avec une sorte d'effroi.—Entre la procession du pape des fous. Torches, lanternes et musique. On porte au milieu du cortège, sur un brancard couvert de chandelles, Quasimodo, chapé et mitré.]

CHOEUR.

> Saluez, clercs de basoche!
> Hubins, coquillards, cagoux,
> Saluez tous! il approche.
> Voici le pape des fous!

CLAUDE FROLLO, [apercevant Quasimodo, s'élance vers lui avec un geste de colère.]

> Quasimodo! quel rôle étrange!
> 0 profanation! Ici,
> Quasimodo!

QUASIMODO.

Grand Dieu! qu'entends-je?

CLAUDE FROLLO.
Ici, te dis-je!

QUASIMODO, [se jetant en bas de la litière.]

Me voici!

CLAUDE FROLLO.

Sois anathème!

QUASIMODO.

Dieu! c'est lui-même!

CLAUDE FROLLO.

Audace extrême!

QUASIMODO.

Instant d'effroi!

CLAUDE FROLLO.

A genoux, traître!

QUASIMODO.

Pardonnez, maître!

CLAUDE FROLLO.

Non, je suis prêtre!

QUASIMODO.

Pardonnez-moi!

[Claude Frollo arrache les ornements pontificaux de Quasimodo et les
foule aux pieds. Les truands, sur lesquels Claude jette des
regards irrités, commencent à murmurer et se forment en groupes
menaçants autour de lui.]

LES TRUANDS.

Il nous menace,
O compagnons!
Dans cette place
Où nous régnons!

QUASIMODO.

Que veut l'audace
De ces larrons?
On le menace,
Mais nous verrons!

CLAUDE FROLLO.

Impure race!
Juifs et larrons!
On me menace,
Mais nous verrons!

[La colère des truands éclate.]

LES TRUANDS.

Arrête! arrête! arrête!
Meure le trouble-fête!

Il paiera de sa tête!
En vain il se débat!

QUASIMODO.

Qu'on respecte sa tête!
Et que chacun s'arrête,
Ou je change la fête
En un sanglant combat!

CLAUDE FROLLO.

Ce n'est point pour sa tête
Que Frollo s'inquiète.

[Il met la main sur la poitrine.]

C'est là qu'est la tempête,:
C'est là qu'est le combat!

[Au moment où la fureur des truands est au comble, Clopin
Trouillefou parait au fond du théâtre.]

CLOPIN.

Qui donc ose attaquer, dans ce repaire infâme,
L'archidiacre mon seigneur,
Et Quasimodo le sonneur
De Notre-Dame?

LES TRUANDS, [s'arrêtant.]

C'est Clopin, notre roi!

CLOPIN.

Manants, retirez-vous!

LES TRUANDS.

Il faut obéir!

CLOPIN.

Laissez-nous.

[Les truands se retirent dans les masures. La Cour des miracles reste
déserte. Clopin s'approche mystérieusement de Claude.]

SCÈNE II

CLAUDE FROLLO, QUASIMODO, CLOPIN TROUILLEFOU.

CLOPIN.

Quel motif vous avait jeté dans cette orgie?
Avez-vous, monseigneur, quelque ordre à me donner?
Vous êtes mon maître en magie.
Parlez; je ferai tout.

CLAUDE. [Il saisit vivement Clopin par le bras et l'attire sur le
devant du théâtre.]

Je viens tout terminer.
Écoute.

CLOPIN.

Monseigneur?

CLAUDE FROLLO.

Plus que jamais je l'aime!
D'amour et de douleur tu me vois palpitant.
Il me la faut cette nuit même.

CLOPIN.

Vous l'allez voir ici passer dans un instant;
C'est le chemin de sa demeure.

CLAUDE FROLLO, [à part.]

Oh! l'enfer me saisit!

[Haut.]

Bientôt, dis-tu?

CLOPIN.

Sur l'heure.

CLAUDE FROLLO.

Seule?

CLOPIN.

Seule.

CLAUDE FROLLO.

Il suffit.

CLOPIN.

Attendrez-vous?

CLAUDE FROLLO.

J'attend.
Que je l'obtienne ou que je meure!

CLOPIN.

Puis-je vous servir?

CLAUDE FROLLO.

Non.

[Il fait signe à Clopin de s'éloigner, après lui avoir jeté sa bourse. Resté seul avec Quasimodo, il l'amène sur le devant du théâtre.]

Viens, j'ai besoin de toi.

QUASIMODO.

C'est bien.

CLAUDE FROLLO.

Pour une chose impie, affreuse, extrême.

QUASIMODO.

Vous êtes mon seigneur.

CLAUDE FROLLO.

Les fers, la mort, la loi,
Nous bravons tout.

QUASIMODO.

Comptez sur moi.

CLAUDE FROLLO, [impétueusement.]

J'enlève la fille bohème!

QUASIMODO.

Maître, prenez mon sang—sans me dire pourquoi.

[Sur un signe de Claudo Frollo, il se retire vers le fond du [théâtre et laisse son maître sur le devant de la scène.]

CLAUDE FROLLO.

0 ciel! avoir donné ma pensée aux abîmes,
Avoir de la magie essayé tous les crimes,.
Être tombé plus bas que l'enfer ne descend,
Prêtre, à minuit, dans l'ombre épier une femme,
Et songer, dans l'état où se trouve mon âme,
    Que Dieu me regarde à présent!

    Eh bien, oui! qu'importe!
    Le destin m'emporte,
    Sa main est trop forte,
    Je cède à sa loi!
    Mon sort recommence!
    Le prêtre en démence
    N'a plus d'espérance
    Et n'a plus d'effroi!
    Démon qui m'enivres,
    Qu'évoquent mes livres,
    Si tu me la livres,
    Je me livre à toi!
    Reçois sous ton aile
    Le prêtre infidèle!
    L'enfer avec elle,
    C'est mon ciel, à moi!

Viens donc, ô jeune femme!
C'est moi qui te réclame!
Viens, prends-moi sans retour!
Puisqu'un Dieu, puisqu'un maître,
Dont le regard pénètre
Notre coeur nuit et jour,
Exige en son caprice
Que le prêtre choisisse
Du ciel ou de l'amour!

QUASIMODO, [revenant.]

Maître, l'instant s'approche.

CLAUDE FROLLO.

    Oui, l'heure est solennelle;
Mon sort se décide, tais-toi.

CLAUDE FROLLO ET QUASIMODO.

    La nuit est sombre,
    J'entends des pas;

Quelqu'un dans l'ombre
Ne vient-il pas?

[Ils vont écouter au fond du théâtre.]

LE GUET, [passant derrière les maisons.]

Paix et vigilance!
Ouvrons, loin du bruit,
L'oreille au silence
Et l'oeil à la nuit.

CLAUDE ET QUASIMODO.

Dans l'ombre on s'avance;
Quelqu'un vient sans bruit.
Oui, faisons silence;
C'est le guet de nuit!

[Le chant s'éloigne.]

QUASIMODO.

Le guet s'en va.

CLAUDE FROLLO.

Notre crainte le suit.

[Claude Frollo et Quasimodo regardent avec anxiété vers
la rue par laquelle doit venir la Esmeralda.]

QUASIMODO.

L'amour conseille,
L'espoir rend fort
Celui qui veille
Lorsque tout dort.
Je la devine,
Je l'entrevoi;
Fille divine,
Viens sans effroi!

CLAUDE FROLLO.

L'amour conseille,
L'espoir rend fort
Celui qui veille
Lorsque tout dort.
Je la devine,
Je l'entrevoi;

Fille divine!
Elle est à moi!

[Entre la Esmeralda. Ils se jettent sur elle, et veulent
l'entraîner. Elle se débat.]

LA ESMERALDA.

Au secours! au secours! à moi!

CLAUDE FROLLO ET QUASIMODO.

Tais-toi, jeune fille! tais-toi!

SCENE III.

LA ESMERALDA, QUASIMODO, PHOEBUS DE
CHATEAUPERS, LES ARCHERS DU GUET.

PHOEBUS DE CHATEAUPERS, [entrant à la tête d'un gros d'archers.]

De par le roi!

[Dans le tumulte, Claude s'échappe. Les archers saisissent Quasimodo.]

PHOEBUS, [aux archers, montrant Quasimodo.]

Arrêtez-le! serrez ferme!
Qu'il soit seigneur ou valet!
Nous allons, pour qu'on l'enferme,
Le conduire au Châtelet!

[Les archers emmènent Quasimodo au fond. La Esmeralda, remise de
sa frayeur, s'approche de Phoebus avec une curiosité mêlée
d'admiration, et l'attire doucement sur le devant de la scène.]

LA ESMERALDA, [à Phoebus.]

Daignez me dire
Votre nom, sire!
Je le requiers!

PHOEBUS.

Phoebus, ma fille,
De la famille
De Châteaupers.

LA ESMERALDA.

Capitaine?

PHOEBUS.

Oui, ma reine.

LA ESMERALDA.

Reine? oh! non.

PHOEBUS.

Grâce extrême!

LA ESMERALDA.

Phoebus, j'aime
Votre nom!

PHOEBUS.

Sur mon âme,
J'ai, madame,
Une lame
De renom!

LA ESMERALDA, [à Phoebus.]

Un beau capitaine,
Un bel officier,
A mine hautaine,
A corset d'acier,
Souvent, mon beau sire,
Prend nos pauvres coeurs,
Et ne fait que rire
De nos yeux en pleurs.

PHOEBUS, [à part.]

Pour un capitaine,
Pour un officier,
L'amour peut à peine
Vivre un jour entier.
Tout soldat désire
Cueillir toute fleur,
Plaisir sans martyre,
Amour sans douleur!

[A la Esmeralda.]

Un esprit
Radieux

Me sourit
Dans tes yeux.

LA ESMERALDA.

Un beau capitaine,
Un bel officier,
A mine hautaine,
A corset d'acier,
Quand aux yeux il brille,
Fait longtemps penser
Toute pauvre fille
Qui l'a vu passer!

PHOEBUS, [à part.]

Pour un capitaine,
Pour un officier,
L'amour peut à peine
Vivre un jour entier.
C'est l'éclair qui brille,
Il faut courtiser
Toute belle fille
Que l'on voit passer.

LA ESMERALDA. [Elle se pose devant le capitaine et l'admire.]

Seigneur Phoebus, que je vous voie
Et que je vous admire encor!
Oh! la belle écharpe de soie,
La belle écharpe à franges d'or!

[Phoebus détache son écharpe et la lui offre.]

PHOEBUS.

Vous plaît-elle?

[La Esmeralda prend l'écharpe et s'en pare.]

LA ESMERALDA.

Qu'elle est belle!

PHOEBUS.

Un moment!

[Il s'approche d'elle et cherche à l'embrasser.]

LA ESMERALDA, reculant.

Non! de grâce!

PHOEBUS, [qui insiste.]

Qu'on m'embrasse!

LA ESMERALDA, [reculant toujours.]

Non, vraiment!

PHOEBUS, [riant.]

> Une belle
> Si rebelle.
> Si cruelle!
> C'est charmant.

LA ESMERALDA.

> Non, beau capitaine,
> Je dois refuser.
> Sais-je où l'on m'entraîne
> Avec un baiser?

PHOEBUS.

> Je suis capitaine,
> Je veux un baiser.
> Ma belle africaine,
> Pourquoi refuser?

Donne un baiser, donne, ou je vais le prendre.

LA ESMERALDA.

Non, laissez-moi; je ne veux rien entendre.

PHOEBUS.

Un seul baiser! ce n'est rien, sur ma foi!

LA ESMERALDA.

Rien pour vous, sire, hélas! et tout pour moi!

PHOEBUS.

Regarde-moi; tu verras si je t'aime!

LA ESMERALDA.

Je ne veux pas regarder en moi-même.

PHOEBUS.

L'amour, ce soir, veut entrer dans ton coeur.

LA ESMERALDA.

L'amour ce soir, et demain le malheur!

[Elle glisse de ses bras et s'enfuit. Phoebus, désappointé, se retourne vers Quasimodo, que les gardes tiennent lié au fond du théâtre.]

PHOEBUS.

Elle m'échappe, elle résiste.
Belle aventure en vérité!
Des deux oiseaux de nuit je garde le plus triste;
Le rossignol s'en va, le hibou m'est resté.

[Il se remet à la tête de sa troupe, et sort emmenant Quasimodo.]

CHOEUR DE LA RONDE DU GUET.

Paix et vigilance!
Ouvrons, loin du bruit,
L'oreille au silence
Et l'oeil à la nuit!

[Ils s'éloignent peu à peu et disparaissent.]

ACTE DEUXIÈME

SCENE PREMIERE.

[La place de Grève. Le pilori. Quasimodo au pilori. Le peuple sur la place.]

CHOEUR.

—Il enlevait une fille!
  —Comment! vraiment?
—Vous voyez comme on l'étrille
  En ce moment!
—Entendez-vous, mes commères?
  Quasimodo
S'en vient chasser sur les terres
  De Cupido!

UNE FEMME DU PEUPLE.

Il passera dans ma rue
Au retour du pilori,
Et c'est Pierrat Torterue
Qui va nous faire le cri.

LE CRIEUR.

De par le roi, que Dieu garde!
L'homme qu'ici l'on regarde
Sera mis, sous bonne garde,
Pour une heure au pilori!

CHOEUR.

  A bas! à bas!
Le bossu! le sourd! le borgne!
  Ce Barabbas!
Je crois, mortdieu! qu'il nous lorgne.
  A bas le sorcier!
  Il grimace, il rue!
  Il fait aboyer
  Les chiens dans la rue.
—Corrigez bien ce bandit!
—Doublez le fouet et l'amende!

QUASIMODO.

A boire!

CHOEUR.

Qu'on le pende!

QUASIMODO.

A boire!

CHOEUR.
Sois maudit!

[Depuis quelques instants la Esmeralda s'est mêlée à la foule. Elle a observé Quasimodo avec surprise d'abord, puis avec pitié. Tout à coup, au milieu des cris du peuple, elle monte au pilori, détache une petite gourde de sa ceinture, et donne à boire à Quasimodo.]

CHOEUR.

Que fais-tu, belle fille?
Laisse Quasimodo!
A Belzébuth qui grille
On ne donne pas d'eau!

[Elle descend du pilori. Les archers détachent et emmènent Quasimodo.]

CHOEUR.

—Il enlevait une femme!
—Qui? ce butor?
—Mais c'est affreux! c'est infâme!
—C'est un peu fort!
—Entendez-vous, mes commères?
Quasimodo
Osait chasser sur les terres
De Cupido!

SCENE II.

[Une salle magnifique où se font des préparatifs de fête.]

PHOEBUS, FLEUR-DE-LYS, MADAME ALOISE DE GONDELAURIER.

MADAME ALOISE.

Phoebus, mon futur gendre, écoutez, je vous aime;
Soyez maître céans comme un autre moi-même;
Ayez soin que ce soir chacun s'égaye ici.
  Et vous, ma fille, allons, tenez-vous prête.
Vous serez la plus belle encor dans cette fête,
  Soyez la plus joyeuse aussi!

[Elle va au fond, et donne des ordres aux valets qui disposent la fête.]

FLEUR-DE-LYS.

Monsieur, depuis l'autre semaine
On vous a vu deux fois à peine.
Cette fête enfin vous ramène.
Enfin! c'est bien heureux vraiment!

PHOEBUS.

Ne grondez pas, je vous supplie!

FLEUR-DE-LYS.

Ah! je le vois, Phoebus m'oublie!

PHOEBUS.

Je vous jure…

FLEUR-DE-LYS.

Pas de serment!
On ne jure que lorsqu'on ment.

PHOEBUS.

Vous oublier! quelle folie!
N'êtes-vous pas la plus jolie?
Ne suis-je pas le mieux aimant?

PHOEBUS, [à part.]

Comme ma belle fiancée
Gronde aujourd'hui!

Le soupçon est dans sa pensée.
　　Ah! quel ennui!
Belles, les amants qu'on rudoie
　　S'en vont ailleurs.
On en prend plus avec la joie
　　Qu'avec les pleurs.

FLEUR-DE-LYS, [à part.]

Me trahir, moi, sa fiancée,
　　Qui suis à lui!
Moi qui n'ai que lui pour pensée
　　Et pour ennui!
Ah! qu'il s'absente ou qu'il me voie,
　　Que de douleurs!
Présent, il dédaigne ma joie,
　　Absent, mes pleurs!

FLEUR-DE-LYS.

L'écharpe, que pour vous, Phoebus, j'ai festonnée,
Qu'en avez-vous donc fait? je ne vous la vois pas.

PHOEBUS, [troublé.]

L'écharpe? Je ne sais…

[A part.]

Mortdieu! le mauvais pas!

FLEUR-DE-LYS.

Vous l'avez oubliée!

[A part.]

　　A qui l'a-t-il donnée?
　Et pour qui suis-je abandonnée?

MADAME ALOISE, [remontant vers eux
et tâchant de les accorder.]

Mon Dieu! mariez-vous; vous bouderez après.

PHOEBUS, [à Fleur-de-Lys.]

　　Non, je ne l'ai pas oubliée.
Je l'ai, je m'en souviens, soigneusement pliée
Dans un coffret d'émail que j'ai fait faire exprès.

[Avec passion, à Fleur-de-Lys, qui boude encore.]

- 19 -

Je vous jure que je vous aime
Plus qu'on n'aimerait Vénus même.

FLEUR-DE-LYS.

Pas de serment! pas de serment!
On ne jure que lorsqu'on ment.

MADAME ALOISE.

Enfants! pas de querelle; aujourd'hui tout est joie.
Viens, ma fille, il faut qu'on nous voie.
Voici qu'on va venir. Chaque chose a son tour.

[Aux valets.]

Allumez les flambeaux, et que le bal s'apprête.
Je veux que tout soit beau, qu'on s'y croie en plein jour

PHOEBUS.

Puisqu'on a Fleur-de-Lys, rien ne manque à la fête.

FLEUR-DE-LYS.

Phoebus, il y manque l'amour!

[Elles sortent.]

PHOEBUS, [regardant sortir Fleur-de-Lys.]

Elle dit vrai; près d'elle encore
Mon coeur est rempli de souci.
Celle que j'aime, à qui je pense dès l'aurore,
Hélas! elle n'est pas ici!

Fille ravissante,
A toi mes amours!
Belle ombre dansante,
Qui remplis mes jours,
Et, toujours absente,
M'apparais toujours!

Elle est rayonnante et douce
Comme un nid dans les rameaux,
Comme une fleur dans la mousse,
Comme un bien parmi des maux!
Humble fille et vierge fière,
Ame chaste en liberté,
La pudeur sous sa paupière
Émousse la volupté!

C'est, dans la nuit sombre,
Un ange des cieux,
Au front voilé d'ombre,
A l'oeil plein de feux!

Toujours je vois son image,
Brillante ou sombre parfois;
Mais toujours, astre ou nuage,
C'est au ciel que je la vois!

Fille ravissante,
A toi mes amours!
Belle ombre dansante
Qui remplis mes jours,
Et, toujours absente,
M'apparais toujours!

[Entrent plusieurs seigneurs et dames en habits de fête.]

SCENE III.

LES PRÉCÉDENTS, LE VICOMTE DE GIF, M. DE MORLAIX, M. DE CHEVREUSE, MADAME DE GONDELAURIER, FLEUR-DE-LYS, DIANE, BÉRANGÈRE, DAMES, SEIGNEURS.

LE VICOMTE DE GIF.

Salut, nobles châtelaines!

MADAME ALOISE, PHOEBUS, FLEUR-DE-LYS, saluant.

Bonjour, noble chevalier!
Oubliez soucis et peines
Sous ce toit hospitalier!

M. DE MORLAIX.

Mesdames, Dieu vous envoie
Santé, plaisir et bonheur!

MADAME ALOISE, PHOEBUS, FLEUR-DE-LYS.

Que le ciel vous rende en joie
Vos bons souhaits, beau seigneur!

M. DE CHEVREUSE.

Mesdames, du fond de l'âme
Je suis à vous comme à Dieu.

MADAME ALOISE, PHOEBUS, FLEUR-DE-LYS.

Beau sire, que Notre-Dame
Vous soit en aide en tout lieu!

[Entrent tous les conviés.]

CHOEUR.

Venez tous à la fête!
Page, dame et seigneur!
Venez tous à la fête,
Des fleurs sur votre tête,
La joie au fond du coeur.

[Les conviés s'accostent et se saluent. Des valets circulent dans la foule, portant des plateaux chargés de fleurs et de fruits. Cependant un groupe de jeunes filles s'est formé près d'une fenêtre, à droite. Tout à coup l'une d'elles appelle les autres et leur fait signe de se pencher hors de la fenêtre.]

DIANE, [regardant au dehors.]

Oh! viens donc voir, viens donc voir, Bérangère!

BÉRANGÈRE, [regardant dans la rue.]

Qu'elle est vive! qu'elle est légère!

DIANE.

C'est une fée ou c'est l'Amour!

LE VICOMTE DE GIF, [riant.]

Qui danse dans le carrefour!

M. DE CHEVREUSE, [après avoir regardé.]

> Eh mais, c'est la magicienne!
> Phoebus, c'est ton égyptienne,
> Que l'autre nuit, avec valeur,
> Tu sauvas des mains d'un voleur.

LE VICOMTE DE GIF.

Eh! oui, c'est la bohémienne!

M. DE MORLAIX.

Elle est belle comme le jour!

DIANE, à Phoebus.

> Si vous la connaissez, dites-lui qu'elle vienne
> Nous égayer de quelque tour.

PHOEBUS, [regardant à son tour d'un air distrait.]

Il se peut bien que ce soit elle.

[A. M. de Gif.]

Mais crois-tu qu'elle se rappelle?…

FLEUR-DE-LYS, [qui observe et qui écoute.]

> De vous toujours on se souvient.
> Voyons, appelez-la, dites-lui qu'elle monte.

[A part.]

Je verrai s'il faut croire à ce que l'on raconte.

PHOEBUS, [à Fleur-de-Lys.]

Vous le voulez? Eh bien, essayons.

[Il fait signe à la danseuse de monter.]

LES JEUNES FILLES.

Elle vient!

M. DE CHEVREUSE.

Sous le porche elle est disparue.

DIANE.

Comme elle a laissé là ce bon peuple ébahi!

LE VICOMTE DE GIF.

Dames, vous allez voir la nymphe de la rue.

FLEUR-DE-LYS, [à part.]

Qu'au signe de Phoebus elle a vite obéi!.

SCÈNE IV.

LES PRÉCÉDENTS, LA ESMERALDA.

Entre la bohémienne, timide, confuse, et radieuse. Mouvement d'admiration.

La foule s'écarte devant elle.

CHOEUR.

Regardez! son beau front brille entre les plus beaux,
Comme ferait un astre entouré de flambeaux!

PHOEBUS.

Oh! la divine créature!
Amis, de ce bal enchanté
Elle est la reine, je vous jure.
Sa couronne c'est sa beauté!

[Il se tourne vers MM. de Gif et de Chevreuse.]

Amis, j'en ai l'âme échauffée!
Je braverais guerre et malheur,
Si je pouvais, charmante fée,
Cueillir ton amour dans sa fleur!

M. DE CHEVREUSE.

C'est une céleste figure!
Un de ces rêves enchantés
Qui flottent dans la nuit obscure
Et sèment l'ombre de clartés!
Dans le carrefour elle est née.
O jeux aveugles du malheur!
Quoi! dans l'eau du ruisseau traînée,
Hélas! une si belle fleur!

LA ESMERALDA, [l'oeil fixé sur Phoebus
dans la foule.]

C'est mon Phoebus, j'en étais sûre,
Tel qu'en mon coeur il est resté!
Ah! sous la soie ou sous l'armure,
C'est toujours lui, grâce et beauté!
Phoebus, ma tête est embrasée!
Tout me brûle, joie et douleurs.
La terre a besoin de rosée,
Et mon âme a besoin de pleurs!

FLEUR-DE-LYS.

Qu'elle est belle! j'en étais sûre.
Oui, je dois être, en vérité,
Bien jalouse, si je mesure
Ma jalousie à sa beauté!
Mais peut-être, prédestinées,
Sous la rude main du malheur,
Elle et moi, nous serons fanées
Toutes les deux dans notre fleur!

MADAME ALOISE.

C'est une belle créature!
Il est étrange, en vérité,
Qu'une bohémienne impure
Ait tant de charme et de beauté!
Mais qui connaît la destinée?
Souvent le serpent oiseleur
Cache sa tête empoisonnée
Sous le buisson le plus en fleur.

TOUS, [ensemble.]

Elle a le calme et la beauté
Du ciel dans les beaux soirs d'été!

MADAME ALOISE, [à la Esmeralda.]

Allons, enfant, allons, la belle,
Venez, et dansez-nous quelque danse nouvelle.

[La Esmeralda se prépare a danser et tire de son sein l'écharpe
que lui a donnée Phoebus.]

FLEUR-DE-LYS.

Mon écharpe!… Phoebus, je suis trompée ici,
Et ma rivale, la voici!

[Fleur-de-Lys arrache l'écharpe à la Esmeralda, et tombe évanouie.
Tout le bal s'ameute en désordre contre l'égyptienne, qui se
réfugie près de Phoebus.]

TOUS.

Est-il vrai? Phoebus l'aime!
Infâme! sors d'ici.
Ton audace est extrême
De nous braver ainsi!

0 comble d'impudence!
Retourne aux carrefours
Faire admirer ta danse
Aux marchands des faubourgs!
Que sur l'heure on la chasse!
A la porte! il le faut.
Une fille si basse
Élever l'oeil si haut!

LA ESMERALDA.

Oh! défends-moi toi-même,
Mon Phoebus, défends-moi!
L'humble fille bohème
N'espère ici qu'en toi.

PHOEBUS.

Je l'aime, et n'aime qu'elle!
Je suis son défenseur.
Je combattrai pour elle.
Mon bras est à mon coeur.
S'il faut qu'on la soutienne,
Eh bien, je la soutien!
Son injure est la mienne,
Et son honneur le mien!

TOUS.

Quoi! voilà ce qu'il aime!
Hors d'ici! hors d'ici!
Quoi! c'est une bohème
Qu'il nous préfère ainsi!
Ah! tous les deux, silence
Sur une telle ardeur!

[A Phoebus.]

Vous, c'est trop d'insolence!

[A la Esmeralda.]

Toi, c'est trop d'impudeur!

[Phoebus et ses amis protègent la bohémienne entourée des menaces
[de tous les conviés de madame de Gondelaurier. La Esmeralda se
[dirige en chancelant vers la porte. La toile tombe.]

ACTE TROISIÈME

SCÈNE PREMIERE.

[Le préau extérieur d'un cabaret. A droite la taverne. A gauche [des arbres. Au fond une porte et un petit mur très bas qui clôt [le préau. Au loin la croupe de Notre-Dame, avec ses deux tours et [sa flèche, et une silhouette sombre du vieux Paris qui se détache [sur le ciel rouge du couchant. La Seine au bas du tableau.]

PHOEBUS, LE VICOMTE DE GIF, M. DE MORLAIX,
M. DE CHEVREUSE, [et plusieurs autres amis de Phoebus,
[assis à des tables, buvant et chantant; puis] D0M CLAUDE FROLLO.

CHANSON.

CHOEUR.

Sois propice et salutaire,
Notre-Dame de Saint-Lô,
Au soudard qui sur la terre
N'a de haine que pour l'eau!

PHOEBUS.

Donne au brave,
En tous lieux,
Bonne cave
Et beaux yeux!
L'heureux drille!
Fais qu'il pille
Jeune fille
Et vin vieux!

Qu'une belle
Au coeur froid
Soit rebelle,
—On en voit,—
Il plaisante
La méchante,
Puis il chante,
Puis il boit!

Le jour passe;
Ivre ou non,
Il embrasse
Sa Toinon,

Et, farouche,
Il se couche
Sur la bouche
D'un canon.

Et son âme,
Qui souvent
D'une femme
Va rêvant,
Est contente
Quand la tente
Palpitante
Tremble au vent.

CHOEUR.

Sois propice et salutaire,
Notre-Dame de Saint-Lô,
Au soudard qui sur la terre
N'a de haine que pour l'eau!

[Entre Claude Frollo, qui va s'asseoir à une table éloignée de celle où
est Phoebus, et paraît d'abord étranger à ce qui se passe autour de lui.]

LE VICOMTE DE GIF, [à Phoebus.]

Cette égyptienne si belle,
Qu'en fais-tu donc, décidément?

[Mouvement d'attention de Claude Frollo.]

PHOEBUS.

Ce soir, dans une heure, avec elle,
J'ai rendez-vous.

TOUS.
Vraiment?

PHOEBUS.

Vraiment!

[L'agitation de Claude Frollo redouble.]

LE VICOMTE DE GIF.

Dans une heure?

PHOEBUS.

Dans un moment!

LA ESMERALDA.

Oh! l'amour, volupté suprême!
Se sentir deux dans un seul coeur!
Posséder la femme qu'on aime!
Être l'esclave et le vainqueur!
Avoir son âme, avoir ses charmes!
Son chant qui sait vous apaiser!
Et ses beaux yeux remplis de larmes
Qu'on essuie avec un baiser!

[Pendant qu'il chante, les autres boivent et choquent leurs verres.]

CHOEUR.

C'est le bonheur suprême,
En quelque temps qu'on soit,
De boire à ce qu'on aime
Et d'aimer ce qu'on boit!

PHOEBUS.

Amis, la plus jolie,
Une grâce accomplie!
0 délire! ô folie!
Amis, elle est à moi!

CLAUDE FROLLO, [à part.]

A l'enfer je m'allie.
Malheur sur elle et toi!

PHOEBUS.

Le plaisir nous convie!
Épuisons sans retour
Le meilleur de la vie
Dans un instant d'amour!

Qu'importe après que l'on meure!
Donnons cent ans pour une heure,
L'éternité pour un jour!

[Le couvre-feu sonne. Les amis de Phoebus se lèvent de table,
[remettent leurs épées, leurs chapeaux, leurs manteaux, et
[s'apprêtent à partir.]

CHOEUR.

Phoebus, l'heure t'appelle;
Oui, c'est le couvre-feu.
Va retrouver ta belle.
A la garde de Dieu!

PHOEBUS.

Vraiment! l'heure m'appelle;
Oui, c'est le couvre-feu.
Je vais trouver ma belle.
A la garde de Dieu!

[Les amis de Phoebus sortent.]

SCÈNE II

CLAUDE FROLLO, PHOEBUS.

CLAUDE FROLLO, [arrêtant Phoebus au
moment où il se [dispose à sortir.]

Capitaine!

PHOEBUS.
Quel est cet homme?

CLAUDE FROLLO.

Écoutez-moi.

PHOEBUS.

Dépêchons-nous!

CLAUDE FROLLO.

Savez-vous bien comment se nomme
Celle qui vous attend ce soir au rendez-vous?

PHOEBUS.

Eh, pardieu! c'est mon amoureuse,
Celle qui m'aime et me plaît fort;
C'est ma chanteuse, ma danseuse,
C'est Esmeralda.

CLAUDE FROLLO.

C'est la mort.

PHOEBUS.

L'ami, vous êtes fou, d'abord;
Ensuite, allez au diable!

CLAUDE FROLLO.

Écoutez!

PHOEBUS.

Que m'importe?

CLAUDE FROLLO.

Phoebus, si vous passez le seuil de cette porte....

PHOEBUS.
Vous êtes fou!

CLAUDE FROLLO.

Vous êtes mort!

Tremble! c'est une égyptienne!
Elles n'ont ni loi, ni remord.
Leur amour déguise leur haine,
Et leur couche est un lit de mort!

PHOEBUS, riant.

Mon cher, rajustez votre cape.
Rentrez à l'hôpital des fous;
Il me paraît qu'on s'en échappe.
Que Jupiter, saint Esculape,
Et le diable soient avec vous!

CLAUDE FROLLO.

Ce sont des femmes infidèles.
Crois-en les publiques rumeurs.
Tout est ténèbres autour d'elles.
Phoebus, n'y va pas, ou tu meurs!

[L'insistance de Claude Frollo paraît troubler Phoebus, qui considère son interlocuteur avec anxiété.]

PHOEBUS.

Il m'étonne,
Il me donne
Malgré moi quelques soupçons.
Cette ville,

Peu tranquille,
Est pleine de trahisons.

CLAUDE FROLLO.

Je l'étonne,
Je lui donne
Malgré lui quelques soupçons.
L'imbécile,
Dans la ville,
Ne voit plus que trahisons.

Croyez-moi, monseigneur, évitez la sirène
Dont le piége vous attend.
Plus d'une bohémienne
A poignardé dans sa haine
Un coeur d'amour palpitant.

[Phoebus, qu'il veut entraîner, se ravise et le repousse.]

PHOEBUS.

Mais suis-je fou moi-même?
Maure, juive ou bohème,
Qu'importe quand on aime?
L'amour doit tout couvrir.
Laisse-nous! il m'appelle!
Ah! si la mort, c'est elle,
Quand la mort est si belle,
Il est doux de mourir!

CLAUDE, [le retenant.]

Arrête! Une bohème!
Ta folie est extrême!
Oses-tu donc toi-même
A ta perte courir?
Crains la femme infidèle
Qui dans l'ombre t'appelle.
Mais quoi! tu cours près d'elle?
Va, si tu veux mourir!

[Phoebus sort vivement, malgré Claude Frollo. Claude Frollo reste
un moment sombre et comme indécis; puis il suit Phoebus.]

SCÈNE III.

[Une chambre. Au fond, une fenêtre qui donne sur la rivière.]

[Clopin Trouillefou entre, un flambeau à la main; il est accompagné de quelques hommes auxquels il fait un geste d'intelligence, et qu'il place dans un coin obscur où ils disparaissent; puis il retourne vers la porte et semble faire signe à quelqu'un de monter. Dom Claude paraît.]

CLOPIN, [à Claude.]

D'ici vous pourrez voir, sans être vu vous-même,
    Le capitaine et la bohème.

[Il lui montre un enfoncement derrière une tapisserie.]

CLAUDE FROLLO.

Les hommes apostés sont-ils prêts?

CLOPIN.

Ils sont prêts.

CLAUDE FROLLO.

Que jamais de ceci l'on ne trouve la source.
    Silence! prenez cette bourse.
    Vous en aurez autant après.

[Claude Frollo se place dans la cachette. Clopin sort avec précaution.
    Entrent la Esmeralda et Phoebus.]

CLAUDE FROLLO, [à part.]

        O fille adorée,
        Au destin livrée!
        Elle entre parée
        Pour sortir en deuil!

LA ESMERALDA, [à Phoebus.]

        Monseigneur le comte,
        Mon coeur que je dompte
        Est rempli de honte
        Et rempli d'orgueil!

PHOEBUS, [à la Esmeralda.]

        Oh! comme elle est rose!
        Quand la porte est close,
        Ma belle, on dépose
        Toute crainte au seuil!

[Phoebus fait asseoir la Esmeralda sur le banc près de lui.]

PHOEBUS.

M'aimes-tu?

LA ESMERALDA.

Je t'aime!

CLAUDE FROLLO, [à part.]

O torture!

PHOEBUS.

O l'adorable créature!
Vous êtes divine, en honneur!

LA ESMERALDA.

Votre bouche est une flatteuse!
Tenez, je suis toute honteuse!
N'approchez pas tant, monseigneur!

CLAUDE FROLLO.

Ils s'aiment! que je les envie!

LA ESMERALDA.

Mon Phoebus, je vous dois la vie!

PHOEBUS.

Et moi, je te dois le bonheur!

LA ESMERALDA.

Oh! sois sage!
Encourage
D'un visage
Gracieux
La petite
Qui palpite
Interdite
Sous tes yeux!

PHOEBUS.

O ma reine,
Ma sirène,
Souveraine
De beauté!
Douce fille,

Dont l'oeil brille
Et pétille
De fierté!

CLAUDE FROLLO.

Les attendre!
Les entendre!
Qu'elle est tendre!
Qu'il est beau!
Sois joyeuse!
Sois heureuse!
Moi, je creuse
Le tombeau!

PHOEBUS.

Fée ou femme,
Sois ma dame!
Car mon âme,
Nuit et jour,
Te désire,
Te respire,
Et t'admire,
Mon amour!

LA ESMERALDA.

Je suis femme,
Et mon âme,
Toute flamme,
Tout amour,
Est, beau sire,
Une lyre
Qui soupire
Nuit et jour!

CLAUDE FROLLO.

Attends, femme,
Que ma flamme
Et ma lame
Aient leur tour!
Oui, j'admire
Leur sourire,
Leur délire,
Leur amour!

PHOEBUS.

Sois toujours rose et vermeille!
Rions à notre heureux sort,
A l'amour qui se réveille,
A la pudeur qui s'endort!
Ta bouche, c'est le ciel même!
Mon âme veut s'y poser.
Puisse mon souffle suprême
S'en aller dans ce baiser!

LA ESMERALDA.

Ta voix plaît à mon oreille;
Ton sourire est doux et fort;
L'insouciance vermeille
Rit dans tes yeux et m'endort.
Tes voeux sont ma loi suprême,
Mais je dois m'y refuser.
Ma vertu, mon bonheur même,
S'en iraient dans ce baiser!

CLAUDE FROLLO.

Ne frappez point leur oreille,
Pas rapprochés de la mort!
Ma haine jalouse veille
Sur leur amour qui s'endort!
La mort décharnée et blême
Entre eux deux va se poser!
Phoebus, ton souffle suprême
S'en ira dans ce baiser!

[Claude Frollo se jette sur Phoebus et le poignarde, puis il ouvre la fenêtre du fond, par laquelle il disparaît. La Esmeralda tombe avec un grand cri sur le corps de Phoebus. Entrent en tumulte les hommes apostés, qui la saisissent et semblent l'accuser. La toile tombe.]

ACTE QUATRIÈME

SCENE PREMIÈRE.

[Une prison. Au fond, une porte.]

LA ESMERALDA, [seule, enchaînée, couchée sur la paille.]

Quoi! lui dans le sépulcre, et moi dans cet abîme!
Moi prisonnière et lui victime!
Oui, je l'ai vu tomber. Il est mort en effet!
Et ce crime, ô ciel! un tel crime,
On dit que c'est moi qui l'ai fait!
La tige de nos jours est brisée encor verte!
Phoebus en s'en allant me montre le chemin!
Hier sa fosse s'est ouverte,
La mienne s'ouvrira demain!

ROMANCE._

Phoebus, n'est-il sur la terre
Aucun pouvoir salutaire
A ceux qui se sont aimés?
N'est-il ni philtres ni charmes
Pour sécher des yeux en larmes,
Pour rouvrir des yeux fermés?
Dieu bon, que je supplie
Et la nuit et le jour,
Daignez m'ôter ma vie
Ou m'ôter mon amour!

Mon Phoebus, ouvrons nos ailes
Vers les sphères éternelles,
Où l'amour est immortel!
Retournons où tout retombe!
Nos corps ensemble à la tombe,
Nos âmes ensemble au ciel!

Dieu bon, que je supplie
Et la nuit et le jour,
Daignez m'ôter ma vie
Ou m'ôter mon amour!

[La porte s'ouvre. Entre Claude Frollo, une lampe à la main, lo capuchon rabattu sur le visage. Il vient se placer, immobile, en face de la Esmeralda.]

LA ESMERALDA, [se levant en sursaut.]

Quel est cet homme?

CLAUDE FROLLO, [voilé par son capuchon.]

Un prêtre.

LA ESMERALDA.

Un prêtre! Quel mystère!

CLAUDE FROLLO.

Êtes-vous prête?

LA ESMERALDA.

A quoi?

CLAUDE FROLLO.

Prête à mourir.

LA ESMERALDA.

Oui.

CLAUDE FROLLO.

Bien.

LA ESMERALDA.

Sera-ce bientôt? Répondez-moi, mon père.

CLAUDE FROLLO.

Demain.

LA ESMERALDA.

Pourquoi pas aujourd'hui?

CLAUDE FROLLO.

Quoi! vous souffrez donc bien?

LA ESMERALDA.

Oui, je souffre!

CLAUDE FROLLO.

Peut-être,
Moi qui vivrai demain, je souffre plus que vous.

LA ESMERALDA.

Vous? qui donc êtes-vous?

CLAUDE FROLLO.

La tombe est entre nous!

LA ESMERALDA.

Votre nom?

CLAUDE FROLLO.

Vous voulez le savoir?

LA ESMERALDA.

Oui.

[Il lève son capuchon.]

LA ESMERALDA.

Le prêtre!
C'est le prêtre! ô ciel! ô mon Dieu!
C'est bien son front de glace et son regard de feu!
C'est bien le prêtre! c'est lui-même!
C'est lui qui me poursuit sans trêve nuit et jour!
C'est lui qui l'a tué, mon Phoebus, mon amour!
Monstre, je vous maudis à mon heure suprême!
Que vous ai-je donc fait? quel est votre dessein?
Que voulez-vous de moi, misérable assassin?
Vous me haïssez donc?

CLAUDE FROLLO.

Je t'aime!—

Je t'aime, c'est infâme!
Je t'aime en frémissant!
Mon amour, c'est mon âme;
Mon amour, c'est mon sang.
Oui, sous tes pieds je tombe,
Et, je le dis,
Je préfère ta tombe
Au paradis.
Plains-moi! Quoi! je succombe.;
Et tu maudis!

LA ESMERALDA.

Il m'aime! ô comble d'épouvante!
Il me tient, l'horrible oiseleur!

CLAUDE FROLLO.

La seule chose en moi vivante,
C'est mon amour et ma douleur!

Détresse extrême!
Quelle rigueur!
Hélas! je t'aime!
Nuit de douleur!

LA ESMERALDA.

Moment suprême!
Tremble, ô mon coeur!
O ciel! il m'aime!
Nuit de terreur!

CLAUDE FROLLO, [à part.]

Dans mes mains elle palpite!
Enfin le prêtre a son tour!
Dans la nuit je l'ai conduite,
Je vais la conduire au jour.
La mort, qui vient à ma suite,
Ne la rendra qu'à l'amour!

LA ESMERALDA.

Par pitié laissez-moi vite!
Phoebus est mort, c'est mon tour!
Hélas! je suis interdite
Devant votre affreux amour,
Comme l'oiseau qui palpite
Sous le regard du vautour!

CLAUDE FROLLO.

Accepte-moi! je t'aime! oh! viens, je t'en conjure!
Pitié pour moi! pitié pour toi! fuyons! tout dort!

LA ESMERALDA.

Votre prière est une injure!

CLAUDE FROLLO.

Aimes-tu mieux mourir?

LA ESMERALDA.

Le corps meurt, l'âme sort.

CLAUDE FROLLO.

Mourir, c'est bien affreux!

LA ESMERALDA.

Taisez-vous, bouche impure!
Votre amour rend belle la mort!

CLAUDE FROLLO.

Choisis, choisis.—Claude ou la mort!

[Claude tombe aux pieds d'Esmeralda, suppliant. Elle le repousse.]

LA ESMERALDA.

Non, meurtrier! jamais! silence!
Ton lâche amour est une offense.
Plutôt la tombe où je m'élance!
Sois maudit parmi les maudits!

CLAUDE FROLLO.

Tremble! l'échafaud te réclame.
Sais-tu que je porte en mon âme
Des projets de sang et de flamme,
De l'enfer dans-l'ombre applaudis?

Oh! je t'adore!
Donne ta main!
Tu peux encore
Vivre demain!
O nuit d'alarmes!
Nuit de remord!
Pour moi les larmes,
Pour toi la mort!
Dis-moi: Je t'aime!
Pour te sauver!—
L'aube suprême
Va se lever.
Ah! puisqu'en vain je t'implore,
Puisque ta haine me fuit,
Adieu donc! un jour encore,
Et puis l'éternelle nuit!

LA ESMERALDA.

Va, je t'abhorre,
Prêtre inhumain!
Le meurtre encore
Rougit ta main!
O nuit d'alarmes!
Nuit de remord!
Assez de larmes,
Je veux la mort!
Dans les fers même
Je t'ai bravé.
Sois anathème!
Sois réprouvé!
Va, ton crime te dévore,
Phoebus vers Dieu me conduit!
Le ciel m'ouvre son aurore!
L'enfer t'attend dans sa nuit!

[Un geôlier paraît. Claude Frollo lui fait signe d'emmener la
Esmeralda, et sort, pendant qu'on entraîne la bohémienne.]

SCÈNE II.

[Le parvis Notre-Dame. La façade de l'église. On entend un bruit de cloches.]

QUASIMODO.

Mon Dieu! j'aime,
Hors moi-même,
Tout ici!
L'air qui passe
Et qui chasse
Mon souci!
L'hirondelle
Si fidèle
Aux vieux toits!
Les chapelles
Sous les ailes
De la croix!
Toute rose
Qui fleurit;
Toute chose
Qui sourit!

Triste ébauche,
Je suis gauche,
Je suis laid.
Point d'envie!
C'est la vie
Comme elle est!
Joie ou peine,
Nuit d'ébène
Ou ciel bleu,
Que m'importe?
Toute porte
Mène à Dieu!
Noble lame,
Vil fourreau,
Dans mon âme
Je suis beau!

Cloches grosses et frêles,
Sonnez, sonnez toujours!
Confondez vos voix grêles
Et vos murmures sourds!

Chantez dans les tourelles,
Bourdonnez dans les tours!

Ça, qu'on sonne!
Qu'à grand bruit
On bourdonne
Jour et nuit!

Nos fêtes seront splendides.
Aidé par vous, j'en réponds.
Sautez à bonds plus rapides
Dans les airs que nous frappons!
Voilà les bourgeois stupides
Qui se hâtent sur les ponts!

Ça, qu'on sonne,
Qu'on bourdonne
Jour et nuit!
Toute fête
Se complète
Par le bruit!

[Il se retourne vers la façade de l'église.]

J'ai vu dans la chapelle une tenture noire.
Hélas! va-t-on traîner quelque misère ici?
Dieu! quel pressentiment!... Non, je n'y veux pas croire!

[Entrent Claude Frollo et Clopin, sans voir Quasimodo.]

C'est mon maître.—Observons.—Il est bien sombre aussi!

[Il se cache dans un angle obscur du portail.]

O ma maîtresse! ô Notre-Dame!
Prenez mes jours, sauvez son âme!

SCÈNE III.

QUASIMODO, [caché;] CLAUDE FROLLO, CLOPIN.

CLAUDE FROLLO.

Donc Phoebus est à Montfort?

CLOPIN.

Monseigneur, il n'est pas mort!

CLAUDE FROLLO.

Pourvu qu'ici rien ne l'amène!

CLOPIN.

Ne vous en mettez pas en peine,
Il est trop faible encor pour un si long chemin.
S'il venait, sa mort serait sûre.
Monseigneur, soyez-en certain,
Chaque pas qu'il ferait rouvrirait sa blessure.
Ne craignez rien pour ce matin.

CLAUDE FROLLO.

Ah! qu'aujourd'hui du moins seul je la tienne,
Pour vivre ou mourir, dans ma main!
Enfer, pour aujourd'hui je te donne demain!

[A Clopin.]

Bientôt on va mener ici l'égyptienne.
Toi, que de tout il te souvienne!—
Sur la place avec les tiens….

CLOPIN.

Bien.

CLAUDE FROLLO.

Tiens-toi dans l'ombre.
Si je crie: A moi! tu viens.

CLOPIN.

Oui.

CLAUDE FROLLO.

Soyez en nombre.

CLOPIN.

Donc si vous criez: A moi!…

CLAUDE FROLLO.

Oui.

CLOPIN.

J'accours près d'elle.
Je l'arrache aux gens du roi….

CLAUDE FROLLO.

Bien.

CLOPIN.

A vous la belle!

CLAUDE FROLLO.

A la foule mêlez-vous.
Et peut-être
Ce coeur deviendra plus doux
Pour le prêtre.
Alors vous accourez tous....

CLOPIN.

Oui, mon maître.

CLAUDE FROLLO.

Tenez-vous partout serrés.

CLOPIN.

Oui.

CLAUDE FROLLO.

Cachez vos armes
Pour ne pas donner d'alarmes.

CLOPIN.

Maître, vous verrez.

CLAUDE FROLLO.

Mais que l'enfer la remporte,
Compagnon,
Si la folle à cette porte
Me dit non!
Destinée! ô jeu funeste!
Ami, je compte sur toi.
Sur la chance qui me reste
Je me penche avec effroi.

CLOPIN.

Ne craignez rien de funeste,
Monseigneur, comptez sur moi.
A la chance qui vous reste
Confiez-vous sans effroi.

[Ils sortent avec précaution. Le peuple commence à arriver sur la place.]

SCÈNE IV.

LE PEUPLE, QUASIMODO, [puis] LA ESMERALDA [et son cortége, puis] CLAUDE FROLLO, PHOEBUS, CLOPIN TROUILLEFOU, PRÊTRES, ARCHERS, GENS DE JUSTICE.

CHOEUR.

> A Notre-Dame
> Venez tous voir
> La jeune femme
> Qui meurt ce soir!
> Cette bohémienne
> A poignardé, je croi,
> Un archer capitaine,
> Le plus beau qu'ait le roi!
> Eh quoi! si belle
> Et si cruelle!
> Entendez-vous?
> Comment y croire?
> L'âme si noire
> Et l'oeil si doux!
> C'est une chose affreuse!
> Ce que c'est que de nous!
> La pauvre malheureuse!
> Venez, accourez tous!
> A Notre-Dame
> Venez tous voir
> La jeune femme
> Qui meurt ce soir!

[La foule grossit. Rumeur. Un cortége sinistre commence à déboucher sur la place du Parvis. Files de pénitents noirs. Bannières de la Miséricorde. Flambeaux. Archers. Gens de justice et du guet. Les soldats écartent la foule. Parait la Esmeralda, en chemise, la corde au cou, pieds nus, couverte d'un grand crêpe noir. Près d'elle, un moine avec un crucifix. Derrière elle, les bourreaux et les gens du roi. Quasimodo, appuyé aux contre-forts du portail, observe avec attention. Au moment où la condamnée arrive devant la façade, on entend un chant grave et lointain venir de l'intérieur de l'église, dont les portes sont fermées.]

CHOEUR, [dans l'église.]

Omnes fluctus fluminis
Transierunt super me
In imo voraginis
Ubi plorant animæ.

[Le chant s'approche lentement. Il éclate enfin près des portes, qui s'ouvrent tout à coup et laissent voir l'intérieur de l'église occupé par une longue procession de prêtres en habits de cérémonie et précédés de bannières. Claude Frollo, en costume sacerdotal, est en tête de la procession. Il s'avance vers la condamnée.]

LE PEUPLE.

Vive aujourd'hui, morte demain!
Doux Jésus, tendez-lui la main!

LA ESMERALDA.

C'est mon Phoebus qui m'appelle
Dans la demeure éternelle
Où Dieu nous tient sous son aile.
Béni soit mon sort cruel!
Au fond de tant de misère,
Mon coeur qui se brise espère.
Je vais mourir pour la terre,
Je vais naître pour le ciel!

CLAUDE FROLLO.

Mourir si jeune, si belle!
Hélas! le prêtre infidèle
Est bien plus condamné qu'elle!
Mon supplice est éternel.
Pauvre fille de misère,
Que j'ai prise dans ma serre,
Tu vas mourir pour la terre;
Moi, je suis mort pour le ciel!

LE PEUPLE.

Hélas! c'est une infidèle!
Le ciel, qui tous nous appelle,
N'a point de portes pour elle.
Son supplice est éternel.
La mort, oh! quelle misère!
La tient dans sa double serre;

Elle est morte pour la terre,
Elle est morte pour le ciel!

[La procession s'approche, Claude aborde la Esmeralda.]

LA ESMERALDA, [glacée de terreur.]

C'est le prêtre!

CLAUDE FROLLO, [bas.]

Oui, c'est moi; je t'aime et je t'implore.
Dis un seul mot, je puis encore,
Je puis encore te sauver.
Dis-moi: Je t'aime.

LA ESMERALDA.

Je t'abhorre!

Va-t'en!

CLAUDE FROLLO.

Alors meurs donc! j'irai te retrouver.

[Il se tourne vers la foule.]

Peuple, au bras séculier nous livrons cette femme.
A ce suprême instant, puisse sur sa pauvre âme
Passer le souffle du Seigneur!

[Au moment où les hommes de justice mettent la main sur la Esmeralda,
Quasimodo saute dans la place, repousse les archers, saisit la
Esmeralda dans ses bras, et se jette dans l'église avec elle.]

QUASIMODO.

Asile! asile! asile!

LE PEUPLE.

Asile! asile! asile!
Noël, gens de la ville!
Noël au bon sonneur!
O destinée!
La condamnée
Est au Seigneur.
Le gibet tombe,
Et l'Éternel,
Au lieu de tombe,
Ouvre l'autel.

Bourreaux, arrière,
Et gens du roi!
Cette barrière
Borne la loi.
C'est toi qui changes
Tout en ce lieu.
Elle est aux anges,
Elle est à Dieu!

CLAUDE FROLLO, [faisant faire silence d'un geste.]

Elle n'est pas sauvée, elle est égyptienne.
Notre-Dame ne peut sauver qu'une chrétienne.
Même embrassant l'autel les païens sont proscrits.

[Aux gens du roi.]

Au nom de monseigneur l'évêque de Paris,
Je vous rends cette femme impure.

QUASIMODO, [aux archers.]

Je la défendrai, je le jure!
N'approchez pas!

CLAUDE FROLLO, [aux archers.]

Vous hésitez!
Obéissez à l'instant même.
Arrachez du saint lieu cette fille bohème.

[Les archers s'avancent. Quasimodo se place entre eux et la Esmeralda.]

QUASIMODO.

Jamais!

[On entend UN CAVALIER accourir et crier du dehors:]

Arrêtez!

[La foule s'écarte.]

PHOEBUS, [apparaissant à cheval, pâle, haletant, épuisé comme un homme qui vient de faire une longue course.]

Arrêtez!

LA ESMERALDA.

Phoebus!

CLAUDE FROLLO, [à part, terrifié.]

La trame se déchire!

PHOEBUS, [se jetant à bas du cheval.]

> Dieu soit loué! je respire.
> J'arrive à temps. Celle-ci
> Est innocente, et voici
> Mon assassin!

[Il désigne Claude Frollo.]

TOUS.

Ciel! le prêtre!

PHOEBUS.

Le prêtre est seul coupable, et je le prouverai.
Qu'on l'arrête.

LE PEUPLE.

O surprise!

[Les archers entourent Claude Frollo.]

CLAUDE FROLLO.

Ah! Dieu seul est le maître!

LA ESMERALDA.

Phoebus!

PHOEBUS.

Esmeralda!

[Ils se jettent dans les bras l'un de l'autre.]

LA ESMERALDA.

> Mon Phoebus adoré!
> Nous vivrons.

PHOEBUS.

Tu vivras.

LA ESMERALDA.

Pour nous le bonheur brille.

LE PEUPLE.

Vivez tous deux!

LA ESMERALDA.

Entends ces joyeuses clameurs!
A tes pieds reçois l'humble fille.—
Ciel! tu pâlis! Qu'as-tu?

PHOEBUS, [chancelant.]

Je meurs.

[Elle le reçoit dans ses bras. Attente et anxiété dans la foule.]

Chaque pas que j'ai fait vers toi, ma bien-aimée,
A rouvert ma blessure à peine encor fermée.
J'ai pris pour moi la tombe et te laisse le jour.
    J'expire. Le sort te venge;
    Je vais voir, ô mon pauvre ange,
    Si le ciel vaut ton amour!
—Adieu!

[Il expire.]

LA ESMERALDA.

Phoebus! il meurt! en un instant tout change!

[Elle tombe sur son corps.]

Je te suis dans l'éternité!

CLAUDE FROLLO.

Fatalité!

LE PEUPLE.

Fatalité!

Milton Keynes UK
Ingram Content Group UK Ltd.
UKHW040715200324
439767UK00006B/323